YSLAIRE

CHAPITRE 4 - DEUXIÈME GÉNÉRATION (1847-1848)

SAMBRE

Faut-il que nous mourions ensemble ?

Glénat

À Martine qui ne connaîtra jamais la fin de l'histoire.

Remerciements spéciaux à Étienne Schreder, Dina Kathelyn et Laurence Erlich.

« D'après une idée originelle de Yslaire et Balac. »

www.glenat.com

Dépôt légal avril 2003
Achevé d'imprimer en France en juillet 2005
Impression et reliure : Pollina s.a., 85400 Luçon - N° L97181

QU'EST-CE QUE TU FAIS LÀ?!

JE PEUX PAS DORMIR...
ÇA VA, ÇA VA, J'AI COMPRIS! MAIS NE M'EMBÊTE PAS!

TU ENTENDS?
COMMENT VEUX-TU QUE JE N'ENTENDE PAS CES FICHUES OIES?... DORS!

C'EST PAS LES OIES!
MAIS SI! ELLES N'ARRÊTENT PAS DE CRIER DEPUIS QUE PÈRE EST REVENU... ELLES SENTENT QU'IL VA Y AVOIR DE L'ORAGE!!
TU CROIS?

PUISQUE JE TE DIS QUE C'EST À CAUSE DE L'ORAGE! MÊME LE DOCTEUR L'A DIT, QUAND IL EST VENU SOIGNER LES YEUX DE PÈRE...

DIS, TU CROIS QU'IL VA MOURIR?
MAIS NON! TOUT VA BIEN, MAINTENANT... PUISQU'IL EST REVENU À LA MAISON...

MAIS QU'EST-CE QU'ILS ATTENDENT?
VA SAVOIR... UN ORDRE... OU UNE PROVOCATION...

À CINQ CONTRE UN, NE SOIS PAS TROP PRESSÉE, CAMARADE! QUAND LES GARDES MUNICIPAUX ATTAQUERONT, CE SERA UNE BOUCHERIE!...

S'ILS ATTAQUENT... MAIS RIEN N'EST MOINS SÛR! CE MATIN, LE GOUVERNEMENT HÉSITANT A PERDU SA MAIN DE FER!... ET LOUIS-PHILIPPE SUR SON TRÔNE NE PORTE QUE DES GANTS EN COTON...

RODOLPHE! ILS ATTAQUENT...
3

NON. CE N'EST QU'UNE MANŒUVRE D'INTIMIDATION! PAS UN GESTE! SURTOUT PAS DE PROVOCATION!...

HÉ! NE...

EH BIEN, TIREZ! TIREZ! PUISQU'IL FAUT QUE LE SANG COULE...

MAIS SURTOUT, VISEZ AU VENTRE! POUR QUE JAMAIS MON ENFANT NE CONNAISSE NOTRE MISÈRE!!...

RODOLPHE! PINCE-MOI !...
... LES "CIPAUX" BATTENT EN RETRAITE !!...
5

VICTOIRE, CAMARADES ! UNE FILLE SEULE ET SANS ARMES A FAIT BAISSER TRENTE FUSILS ! LE PEUPLE EN PERSONNE FAIT RECULER L'ARMÉE !!
HEM. À MOINS QUE L'ARRIVÉE INOPINÉE DE CES GARDES NATIONAUX LÀ-BAS N'AIT PRÉCIPITÉ LA RETRAITE DES MUNICIPAUX ! REGARDE LES GRADÉS QUI S'AGITENT !
OUI. TEMPÈRE TON ENTHOUSIASME BAPTISTE ! SUITE À SON ACTE DE FOLIE, LE PEUPLE, COMME TU DIS, MORD LA POUSSIÈRE !...
ELLE A TOURNÉ DE L'OEIL. LA PEUR, SANS DOUTE, QUI L'A RATTRAPÉE ...
...FAUT DIRE QU'ELLE A BRAVÉ LA MORT EN LA REGARDANT DROIT DANS LES YEUX !..
BRAVÉ ? TU VEUX DIRE CHERCHÉ LA MORT !...
... ET NUL NE SAIT SI ELLE A EU DE LA CHANCE OU NON D'EN RÉCHAPPER !

MONSIEUR BERNARD!! J'ÉTAIS INQUIET! JE VOUS CHERCHAIS...
À TON AVIS, THÉODORE, PLEUVRA-T-IL ENCORE DEMAIN?
LE COUSIN GUIZOT PRÉTENDAIT CE MATIN QUE JAMAIS LES PARISIENS NE FERAIENT LA RÉVOLUTION EN HIVER... À CAUSE DE LA PLUIE... MAIS QUI A JAMAIS PERCÉ LE SECRET DES NUAGES?
IL EST FORT TARD, MONSIEUR, VOUS DEVRIEZ DORMIR...
...MAIS... VOTRE MAIN, MONSIEUR!?
OUI, OUI, JE SAIS! ELLE SAIGNE ENCORE!...

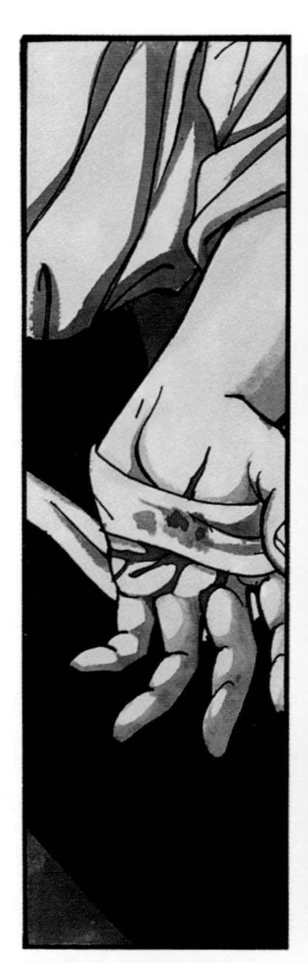

C'EST UNE VILAINE BLESSURE, MONSIEUR. ELLE EST TOUTE INFECTÉE. POURQUOI NE PAS L'AVOIR SOIGNÉE PLUS TÔT ?

PARCE QU'ELLE NE GUÉRIRA JAMAIS, THÉODORE. MAINTENANT JE LE SAIS.

ALLONS, MONSIEUR ! VOUS FAITES L'ENFANT ! IL SUFFIT D'UN DOCTEUR...

MAIS TU NE COMPRENDS PAS QUE, MÊME SI CETTE BLESSURE CICATRISAIT, JE CREUSERAIS JUSQU'À L'OS, POURVU QU'ELLE SAIGNE ENCORE !!

... MA LIGNE DE VIE ÉTAIT PLUS LONGUE QUE LA SIENNE ET JULIE L'A RACCOURCIE ET JE LA RACCOURCIRAI ENCORE !!...

... S'IL FAUT QUE NOUS MOURRIONS ENSEMBLE...

ET NE FAIS PAS CETTE TÊTE, VIEILLE BIQUE, J'AI FAIT UN SERMENT ! UN SAMBRE NE TRAHIT PAS SA PAROLE !!

... MON PÈRE A-T-IL JAMAIS TRAHI SA PAROLE ?!?...

C'EST BIEN LA PREMIÈRE FOIS QUE JE NE T'ENTENDS PAS DÉFENDRE ARDEMMENT LA MÉMOIRE DE "MONSIEUR HUGO"...!?

MONSIEUR HUGO DISAIT QU'UNE FILLE AUX YEUX ROUGES FERAIT LE MALHEUR DES SAMBRE ! IL L'A ÉCRIT !
QU'EN SAVAIT-IL ? IL N'EN A JAMAIS RENCONTRÉE !

CETTE JULIE A DÉJA FAIT DEUX VICTIMES : VOTRE MÈRE ET LE PEINTRE VALDIEU ! QUE VOUS FAUT-IL DE PLUS ?

MAIS QU'EST-CE QUE TU RACONTES, VIEILLE CHOUETTE ? QU'EN SAVAIT-IL ? QU'EN SAVAIT-IL ?!...

... PUISQU'IL N'EN A JAMAIS RENCONTRÉE !?!

JE NE SAIS PAS, MONSIEUR. TOUT CE QUE JE SAIS, C'EST QUE MONSIEUR HUGO L'AVAIT PRÉDIT DANS SON LIVRE, *LA GUERRE DES YEUX*...

TU VEUX QUE JE TE DISE, THÉODORE ? DEMAIN, IL PLEUVRA. MAIS CELA N'EMPÊCHERA RIEN ! RIEN ! PAS MÊME LA RÉVOLUTION...

C'EST INUTILE, MONSIEUR, VOUS NE TROUVEREZ RIEN ! NI LETTRES, NI LE MOINDRE ÉCRIT DE SA MAIN...

QUELQU'UN S'EST INTRODUIT ICI BIEN AVANT NOTRE ARRIVÉE, A TOUT FOUILLÉ ET N'A LAISSÉ QUE DES CENDRES. LA PETITE JULIE, SANS AUCUN DOUTE...

ET POURQUOI JULIE ? ET D'ABORD, QU'A-T-ELLE DÉCOUVERT DE SI COMPROMETTANT QU'ELLE DOIVE BRÛLER ? TU PEUX ME RÉPONDRE ??
COMMENT LE POURRAIS-JE ? VOYONS !

SALE HYPOCRITE ! DU VIVANT DE MON PÈRE, TU FOUILLAIS SES POCHES ET TU TENAIS RAPPORT À MA MÈRE...

PUIS-JE SAVOIR CE QUE COMPTE FAIRE MONSIEUR ?
TU LE VOIS, MON BON THÉODORE. JE VAIS BRÛLER CES LIVRES. ET APRÈS, JE M'EN PRENDRAI AU RESTE DE LA BIBLIOTHÈQUE.

ET APRÈS, POURQUOI PAS À CE TABLEAU DE FANTÔMES ? NE T'AVAIS-JE PAS DEMANDÉ DE LE DÉCROCHER ?

MAIS POURQUOI, MONSIEUR ? POURQUOI ? VOTRE PÈRE Y TENAIT TANT...

SI ON TE LE DEMANDE TU DIRAS : À CAUSE DE JULIE. À CHAQUE MALHEUR, VOILÀ CE QUE L'ON DIT : À CAUSE DE JULIE ET DE SES MAUDITS YEUX ROUGES !....

MOI, J'AI COMPRIS SON MESSAGE : IL FAUT TOUT BRÛLER ! BRÛLER CETTE FICHUE *GUERRE DES YEUX* QUE PERSONNE N'A JAMAIS LUE, ET QUI PEUT-ÊTRE N'A JAMAIS EXISTÉ ! ET À DÉFAUT DE POSSÉDER L'ORIGINAL, JE BRÛLE TOUS LES LIVRES QUI L'ONT INSPIRÉE !...

... YEUX BLEUS, YEUX NOIRS OU YEUX ROUGES, QUELLE DIFFÉRENCE ? QUI A PU ÉCRIRE QU'UN DESTIN SE DÉFINISSAIT D'APRÈS LA COULEUR DE L'IRIS ?... SINON UN FOU QUI S'EST LIVRÉ SA PROPRE BATAILLE...

...BLEUS ET GRIS, ROUGES OU NOIRS, NOUS N'AVONS TOUS QU'UN SEUL CHEMIN, CELUI D'ÊTRE UN JOUR VAINCU...

MONSIEUR, DE GRÂCE... VOUS PERDEZ LA TÊTE... IL VOUS FAUT DORMIR...

REGARDE CE PORTRAIT, THÉODORE... MON PÈRE JEUNE, DISAIS-TU, ENTOURÉ DE TOUTE SA FAMILLE. REGARDE COMME IL SOURIT...

JE N'HÉRITE PAS QUE DE SON VISAGE, MAIS AUTANT DE SA FOLIE...

...NE SUIS-JE PAS UN BON FILS ?

PARAÎT QUE LE ROI VEUT NOMMER BARROT À LA PLACE DU PREMIER MINISTRE ... POUR APAISER LA POPULACE...
BARROT ! COMME SI UNE VIEILLE POMME POUVAIT SAUVER UNE POIRE BLETTE !
LA GARDE NATIONALE NE LE SUIVRA JAMAIS !
NON ! IL FAUT DES RÉFORMES ! DE VÉRITABLES RÉFORMES !!...
ET TOI, DIS-MOI, DE QUELLE RÉFORME RÊVES-TU ?
HÉLAS ! JE SUIS RÉVEILLÉE...
TU ES BIEN AMÈRE... NON, NE DIS RIEN. JE ME DOUTE QUE CE N'EST PAS UN IDÉAL POLITIQUE QUI T'A MENÉE AU SOMMET DE CETTE BARRICADE...
... J'EN AI CONNU D'AUTRES, DES BONNICHES ENGROSSÉES PAR LEUR MAÎTRE QUI S'EN REMETTAIENT AU SOCIALISME EN RÊVANT D'UN AUTRE MONDE...
QU'EST-CE QUE TU RACONTES, RODOLPHE ? QU'EST-CE QUE TU VEUX SAVOIR ?
12

RIEN. J'AIME TON DÉSESPOIR, TA MINABLE TRAGÉDIE. ET TOUTES CES PETITES MISÈRES QUI CONDUISENT AUX GRANDES RÉVOLUTIONS...

ET LUI, IL BOUGE ENCORE ?

NE ME TOUCHE PAS !!

DANS LE FOND, TU NE RISQUAIS PAS GRAND-CHOSE FACE AUX MILITAIRES...

IL Y A UN PROVERBE ARABE QUI DIT : *CE N'EST PAS LA BALLE QUI TUE, MAIS LA DESTINÉE*... ET LA TIENNE EST D'INCARNER LA LIBERTÉ, N'EST-CE PAS ?
OÙ VEUX-TU EN VENIR ?

LES SYMBOLES NE MEURENT JAMAIS, N'EST-CE PAS ? RÉPONDS-MOI !
SANS DOUTE...

ALORS JURE-MOI QUE TU NE MOURRAS JAMAIS !

JURE-LE-MOI !!
MON PAUVRE RODOLPHE, TU ES ENCORE PLUS FOU QUE VALDIEU !

NON ! NE...

13

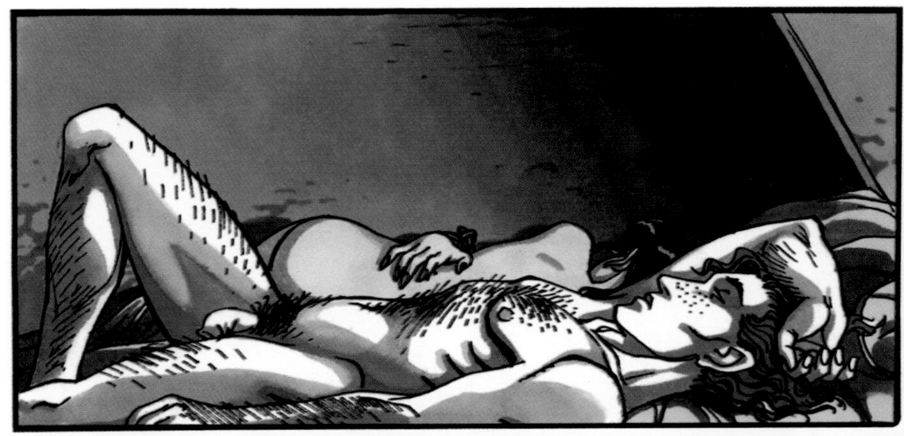

DÈS QUE JE T'AI VUE, J'AI SU QUE C'ÉTAIT TOI, LE MODÈLE DE VALDIEU ... SA NOUVELLE LIBERTÉ ...

...TOI QU'IL CACHAIT, QU'IL JALOUSAIT, CELLE DONT IL NE POUVAIT PEINDRE LE REGARD... IL M'EN A TANT PARLÉ !
ALORS TU L'AS QUITTÉ?
EN QUELQUE SORTE, OUI.

ET IL T'A LAISSÉE PARTIR ?

EH BIEN, OUI. OUI! POURQUOI TOUTES CES QUESTIONS ?

NON! JE LE CONNAIS. JAMAIS IL NE T'AURAIT LAISSÉE PARTIR

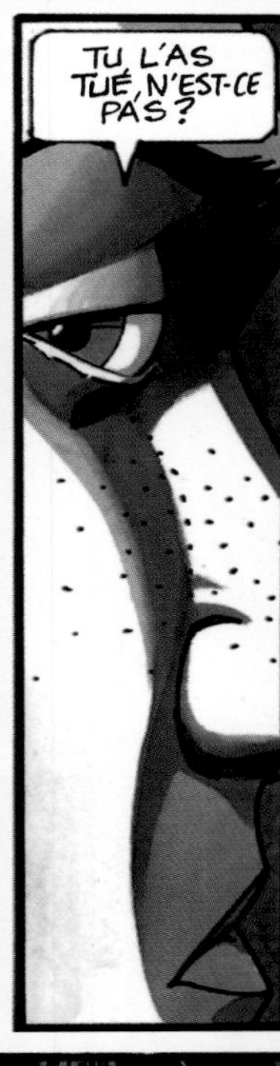
TU L'AS TUÉ, N'EST-CE PAS ?

JE COMPRENDS MIEUX CES CHAÎNES... CES TACHES DE SANG SUR TA ROBE...

IL... IL M'AGRESSAIT ET JE ME SUIS DÉFENDUE ! SEULEMENT DÉFENDUE !
AH ? ET CE N'EST PAS CE QUE TU AS FAIT, IL Y A UN QUART D'HEURE ? TE DÉFENDRE DE MES AVANCES ?

IL ME VIOLAIT, LUI...

TU AS RAISON ! LÀ RÉSIDE TOUTE LA DIFFÉRENCE ENTRE VALDIEU ET MOI : IL A TOUJOURS ÉTÉ INFECT AVEC LES FEMMES !...

JE TE FAIS PEUR, MAINTENANT...

NON. C'EST TOI QUI CRAINS QUE JE NE TE RENVOIE AUX GENDARMES. MAIS UN MARCHÉ EST UN MARCHÉ. ET J'AI BESOIN DE TOI.

AUX YEUX DE MES HOMMES, TU ES DÉJÀ PRESQUE UNE LÉGENDE. TANT QUE TU L'INCARNERAS, TU GARANTIRAS LEUR ARDEUR AU COMBAT. ET, MOI, JE GARANTIRAI LA SÉCURITÉ, À TOI COMME À TON ENFANT...

... ENVERS ET CONTRE TOI S'IL LE FAUT...

...CAR LA LIBERTÉ NE PEUT PAS MOURIR ! PAS AUJOURD'HUI, EN TOUT CAS...

EH BIEN ! VOUS NE DORMEZ DONC JAMAIS ?!

IL LE FALLAIT ! COUSIN GUIZOT, JE... J'AI UN AVEU À VOUS FAIRE !
À CETTE HEURE ? VRAIMENT ?...

D'ORDINAIRE, IL N'Y A QUE LES COUPABLES QUI AIENT BESOIN D'AVOUER...
JUSTEMENT, COUSIN, OU DOIS-JE DIRE INSPECTEUR ?... JE VOUS AI MENTI !

JE... C'EST MOI QUI AI TUÉ LE PEINTRE VALDIEU !

...MAIS ENCORE?

C'EST LÀ TOUTE VOTRE RÉACTION?

VOUS NE M'APPRENEZ RIEN, MON CHER. HIER SOIR, LA DUCHESSE DE CASTELBALAC ME RAPPORTAIT LE TÉMOIGNAGE DE VALDIEU SUR SON LIT DE MORT... IL VOUS ACCUSE!...

OLYMPE? MAIS C'EST... C'EST...
...INCROYABLE, N'EST-CE PAS? LE BOURREAU ET LA VICTIME AURAIENT LA MÊME VERSION DES FAITS...

DANS CE CAS, QU'ATTENDEZ-VOUS POUR FAIRE VOTRE DEVOIR?

ET QUEL EST-IL, SELON VOUS? VOUS ENCHAÎNER ET VOUS JETER DANS LA MÊME CELLULE QU'UNE CERTAINE JULIE?

ALLONS, JE SAURAI VOUS ÉVITER CE SORT CRUEL! IMAGINEZ UN INSTANT VOTRE SITUATION DANS CE CLOAQUE PUTRIDE... MÊME L'AMOUR LE PLUS ARDENT NE PEUT Y RÉSISTER PLUS DE QUINZE JOURS... VOUS SAVEZ, LE CORPS A DES ODEURS, FÛT-IL CELUI D'UNE JOLIE FEMME...

ASSEZ! VOTRE DEVOIR EST DE ME JETER EN PRISON ET DE LIBÉRER JULIE!!

ENCORE MIEUX!

SÉRIEUSEMENT, QU'ESPÉREZ-VOUS? VOUS SACRIFIER POUR ELLE? OU VOUS RACHETER TARDIVEMENT DE VOTRE LÂCHETÉ?
JE NE VOUS DEMANDE PAS DE COMPRENDRE, MAIS DE LA LIBÉRER!

VOYONS, COUSIN, C'EST ABSURDE! VOTRE CULPABILITÉ DANS L'AFFAIRE DU PEINTRE NE LAVE EN RIEN LES PRÉCÉDENTS DE CETTE BRACONNIÈRE. FAUT-IL VOUS LE RAPPELER? ELLE A TUÉ VOTRE MÈRE!!

VOYONS, COUSIN, VOUS N'AVEZ PAS DE PREUVE! FAUT-IL VOUS LE RAPPELER? L'ARME DU CRIME A DISPARU...

OUI, OUI, VOUS SAVEZ BIEN, CETTE ÉPINGLE ROUGE, SEUL HÉRITAGE D'IRIS, MÈRE DE JULIE... SEULE PREUVE TANGIBLE QUI L'ACCUSE POUR LES DEUX CRIMES...

...CAR ENFIN, EN CE QUI CONCERNE LE PREMIER, QUELLE CONFIANCE ACCORDERAIT UN JUGE AU TÉMOIGNAGE DE CE QU'AURAIT VU MA SOEUR? ELLE EST AVEUGLE. ET ROSINE, SOYONS SÉRIEUX, N'EST QU'UNE BONNE DE CHAMBRE JALOUSE. BREF, SANS PIÈCE À CONVICTION, L'INCULPATION EST DOUTEUSE...

QUANT AU SECOND CRIME, PUISQUE JE M'ACCUSE...

JE VOUS AVAIS MAL JUGÉ, VOUS ÊTES ENCORE PLUS FOU QUE JE NE LE PENSAIS!

UNE SEULE QUESTION, COUSIN. SI CE N'EST JULIE, QUI D'AUTRE?

MAIS JE... JE NE SAIS PAS!

RÉFLÉCHISSEZ! QUI D'AUTRE ÉTAIT PRÉSENT LE JOUR FATAL DEVANT CET ÂTRE QUI VIT CHOIR VOTRE PAUVRE MÈRE? ROSINE ET SARAH...

SI CE N'EST PAS JULIE, CE N'EST PAS PLUS ROSINE. CAR LE SEUL ATTENTAT DONT ON PUISSE L'ACCUSER EST CELUI QUE SA POITRINE FAIT À LA PUDEUR...

RESTE SARAH... VOTRE SOEUR...

RÉFLÉCHISSEZ BIEN, COUSIN BERNARD. IL FAUT UNE COUPABLE, LA JUSTICE LA RÉCLAME! ET QUI D'AUTRE MIEUX QUE CETTE JULIE ÉVITERAIT À NOTRE FAMILLE LE SCANDALE ET L'OPPROBRE?

LE SCANDALE ET L'OPPROBRE SONT LE LOT DE NOTRE FAMILLE, COUSIN GUIZOT...

...SAVEZ-VOUS QUE, DÉJÀ, MAXIMILIEN SAMBRE, PÈRE D'HUGO, TRAHIT SA PREMIÈRE FEMME POUR UNE TRAÎNÉE QUE LA GRANDE RÉVOLUTION AUTORISA À PORTER LE MÊME NOM?...

...ET QUE, FRUIT DU PREMIER LIT ET REJETÉE PAR LA SECONDE COUVÉE, VICTOIRE-ÉGALITÉ S'ENFUIT AVEC UN GARÇON D'ÉCURIE NOMMÉ GUIZOT?...

APRÈS TOUT, MON PAUVRE PETIT FRÈRE N'EST QUE LA VICTIME D'UN ATAVISME PROFOND... ET LA PEUR DU SCANDALE NE LUI FERA PAS ENTENDRE RAISON!

QUE FAIS-TU ICI?!
CHÈRE SARAH! SI TÔT LEVÉE ET DÉJÀ LE VERBE CINGLANT!...
17

À VRAI DIRE, CHER, JE N'AI JAMAIS INVITÉ QUE VOTRE SOEUR À PARIS!
JUSQU'ICI! TU ME POURSUIS, TU ME SURVEILLES!!

JE PENSE QU'INQUIÈTE DE VOTRE FUGUE, ELLE A DÉCIDÉ DU VOYAGE PLUS PROMPTEMENT QUE LA CONDUITE DE VOS AFFAIRES NE L'IMPOSAIT. ELLE EST ARRIVÉE, FORT TARD, HIER SOIR...

AAH! SARAH EST LE PORTRAIT VIVANT DE FEU VOTRE MÈRE... CHÈRE SARAH!...
HYPPOLITE, POURQUOI LUI CACHER LA VÉRITABLE RAISON DE MA PRÉSENCE ICI?

QUOI DONC?
VOYONS, TU NE DEVINES PAS, PETIT FRÈRE? C'ÉTAIT LE VOEU LE PLUS CHER DE NOTRE DÉFUNTE MÈRE...

ET PUIS, IL FAUT BIEN QUE QUELQU'UN GÈRE LA FORTUNE DES SAMBRE...
JE VEUX DIRE... UN HOMME...

TU NE NOUS FÉLICITES PAS?

BERNARD! JE T'ORDONNE DE REVENIR!!

RASSUREZ-VOUS, TRÈS CHÈRE. IL N'IRA PAS VOUS DÉNONCER AU PREMIER POSTE DE POLICE VENU! IL DOUTE ENCORE, LUI...

JE VOUS DIS QU'IL EST CAPABLE DE TOUT! FAITES QUELQUE CHOSE!!

MA CHÉRIE! VOUS OUBLIEZ DÉJÀ QUE VOUS ÊTES FIANCÉE À UN INSPECTEUR DE PREMIÈRE CLASSE!!
18

...TRÈS CALME, INSPECTEUR. IL N'A PAS PIPÉ MOT !
BIEN. LAISSEZ NOUS SEULS, GENDARME !

SOYONS FRANCS, CHER COUSIN. JAMAIS JE NE VOUS AURAIS CRU CAPABLE DE VOUS PRÉCIPITER AU PREMIER POSTE DE POLICE VENU ET DE FAIRE CES AVEUX SPONTANÉS !

VOUS M'IMPRESSIONNEZ, MÊME. D'OÙ VOUS VIENT CETTE IDÉE SAUGRENUE DE VOUS ACCUSER DE TOUS LES CRIMES ?...

... ET SURTOUT DE L'ASSASSINAT DE VOTRE MÈRE !? C'EST UNE PROVOCATION ?

VOUS AVEZ LU MA DÉPOSITION. LE TRIBUNAL DÉCIDERA DE MON SORT ET GRACIERA JULIE.

C'EST UNE OBSESSION !

LE DÉGOÛT, SEULEMENT. LE DÉGOÛT DE MON PROPRE SANG. MAIS VOUS NE POUVEZ PAS COMPRENDRE. VOUS EST-IL SEULEMENT ARRIVÉ DE ROUGIR ?

VOUS VOUS TROMPEZ. LA HONTE DE LEUR NOM, TOUS LES BÂTARDS CONNAISSENT CELA...

JE VAIS VOUS DIRE POURQUOI JULIE A TUÉ MADAME HUGO SAMBRE, COUSIN, POURQUOI ELLE VEUT SE VENGER DE VOTRE FAMILLE...

FRANCHEMENT, IL NE VOUS EST JAMAIS PASSÉ PAR L'ESPRIT QUE VOTRE PÈRE EÛT PU AVOIR UNE LIAISON À PARIS ?
JAMAIS ! CE GENRE D'IDÉE NE NAÎT QUE DANS LE CERVEAU D'UN DÉGÉNÉRÉ !

VOYONS !... L'ÉPINGLE D'IRIS, PAR LA MAIN DE SA FILLE JULIE, DANS LE COEUR DE VOTRE MÈRE... CELA RESPIRE LE RÈGLEMENT DE COMPTES, NON ? ET LES VENGEANCES POSTHUMES, CE N'EST PAS PLUS ORIGINAL QUE LES MAÎTRESSES DÉLAISSÉES...

VOTRE PÈRE A MÊME ÉCRIT UNE THÉORIE À CE SUJET, IL ME SEMBLE...
JE NE SAIS PAS ! JE NE L'AI JAMAIS LUE !!

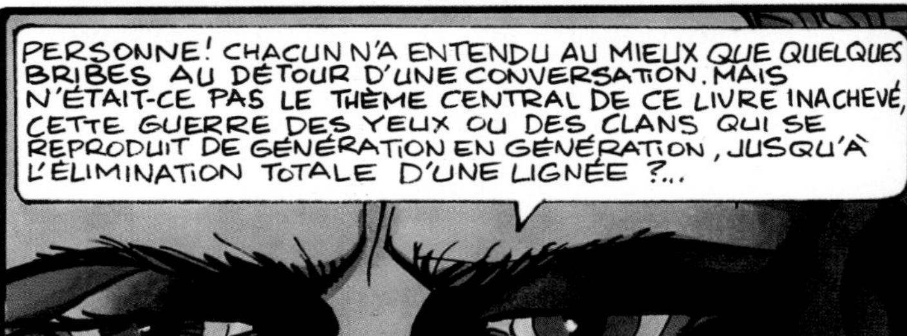
PERSONNE ! CHACUN N'A ENTENDU AU MIEUX QUE QUELQUES BRIBES AU DÉTOUR D'UNE CONVERSATION. MAIS N'ÉTAIT-CE PAS LE THÈME CENTRAL DE CE LIVRE INACHEVÉ, CETTE GUERRE DES YEUX OU DES CLANS QUI SE REPRODUIT DE GÉNÉRATION EN GÉNÉRATION, JUSQU'À L'ÉLIMINATION TOTALE D'UNE LIGNÉE ?...

...ET S'IL FAUT L'EN CROIRE, LA FIN DES SAMBRE EST PROCHE PUISQUE VOUS ÊTES LE DERNIER...

... PRÊT À VOUS SACRIFIER POUR LES BEAUX YEUX ROUGES DE VOTRE BOURREAU !...

ALORS VOUS AUSSI ! VOUS AUSSI VOUS CROYEZ À CES DÉLIRES !!?

ALLEZ DONC DEMANDER AU VICAIRE SI TOUT CELA EST DU DÉLIRE...

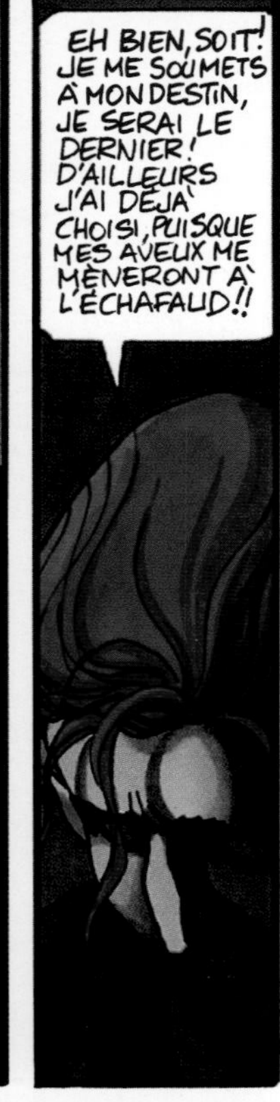
EH BIEN, SOIT ! JE ME SOUMETS À MON DESTIN, JE SERAI LE DERNIER ! D'AILLEURS J'AI DÉJÀ CHOISI, PUISQUE MES AVEUX ME MÈNERONT À L'ÉCHAFAUD !!

QUELS AVEUX ?...

JE PROTESTE ! VOUS N'AVEZ PAS LE DROIT ! PAS LE DROIT !!
SERIEUSEMENT, VOUS N'AVEZ PAS CRU QUE VOTRE FAMILLE ALLAIT VOUS LAISSER VOUS SACRIFIER SANS RIEN FAIRE ?

MA FAMILLE !! PRONONCEZ ENCORE UNE FOIS CE MOT QUI VOUS EXCLUT ET JE VOUS TUE, SALE BÂTARD !!
ME TUER ? IL FAUDRAIT POUVOIR ! ET VOTRE PASSÉ L'A PROUVÉ, FACE À LA MORT, VOUS RECULEZ !!

BRIGADIER !! JETEZ CE FRELUQUET DEHORS !!

ET VOUS L'AVEZ RELÂCHÉ?
JE LE REGRETTE DÉJÀ.

VOUS L'AVEZ FAIT SUIVRE?
C'EST INUTILE PUISQUE JE SAIS OÙ IL COURT: DE CHARYBDE EN SCYLLA! D'AILLEURS J'EN AI ASSEZ DE JOUER LES CHAPERONS!!

COMPRENEZ-MOI, MON AMI... MON FRÈRE EST SI FRAGILE DEPUIS TROIS MOIS QUE C'EST UN DEVOIR POUR MOI DE LE PROTÉGER ...FÛT-CE DE LUI-MÊME... ET JE TREMBLE À L'IDÉE QU'UNE NOUVELLE TRAGÉDIE NE VIENNE ASSOMBRIR NOTRE PROJET DE MARIAGE...

OUI, JE TREMBLE POUR NOTRE FAMILLE...
PUIS-JE VOUS RAPPELER QU'À CETTE HEURE TOUTE LA FRANCE TREMBLE? ET C'EST PLUS QU'UN DEVOIR DE DÉFENDRE L'ORDRE ÉTABLI... C'EST UN MÉTIER!

BIEN SUR, MON AMI, JE SAIS QUE VOUS AVEZ FORT À FAIRE. ET JE ME DOUTE QUE VOUS ALLEZ REPORTER AUSSI CETTE ENTREVUE CHEZ LE NOTAIRE?

APRÈS TOUT, LA VENTE DE CET IMMEUBLE DES INNOCENTS PEUT ATTENDRE LA FIN D'UNE RÉVOLUTION...
EUH... OUI, MAIS... L'ACHETEUR POURRAIT SE RAVISER, ET...

AH? JE CROYAIS QUE VOUS ENTRETENIEZ DES LIENS PRIVILÉGIÉS AVEC LA DUCHESSE DE CASTELBALAC. TROP PRIVILÉGIÉS, SANS DOUTE... C'EST UNE ANCIENNE COURTISANE, M'AVEZ-VOUS DIT?
TRÈS ANCIENNE. TRÈS!...

MAIS IL ME FAUT L'AVOUER, JE RESTE SON OBLIGÉ, ET...
... ET VOUS ESPÉRIEZ LIQUIDER VOS QUELQUES DETTES EN ÉCHANGE DE L'OPPORTUNITÉ DE CET IMMEUBLE À BON PRIX... SOIT!

N'ESPÉREZ PAS ME CHOQUER COUSIN GUIZOT. DÉJÀ PETITE FILLE, J'AI COMPRIS QUE TOUT AVAIT UN PRIX ICI-BAS...

NOTRE FAMILLE NE SURVIVRA DONC QU'AVEC LE RETOUR DE MON FRÈRE. ALORS VOUS VOUS MARIEREZ AVEC MOI, ET À DÉFAUT DE NOTRE NOM, VOUS POSSÉDEREZ NOTRE FORTUNE. ET MOI, JE DEVIENDRAI VOTRE FEMME. MAIS EN ÉCHANGE DE QUOI?...

...DE VOTRE INNOCENCE...

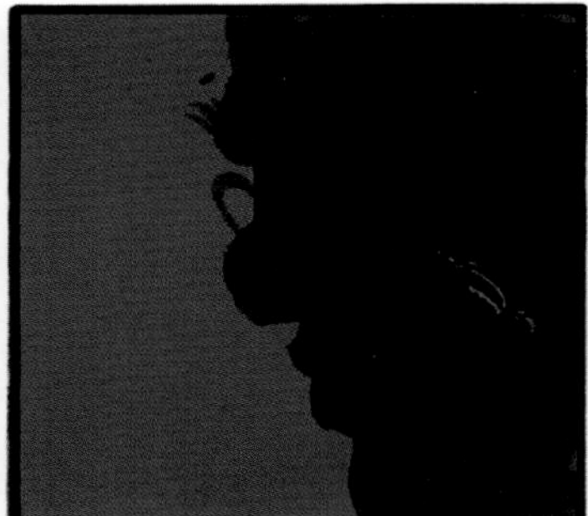

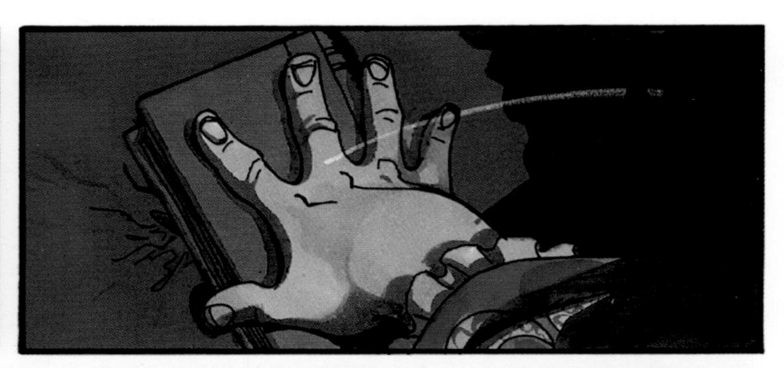

TON PÈRE AUSSI REVENAIT SANS CESSE...

HORACE
VIEUX
MEUBLES
VELOURS
...CHERCHANT DANS SES YEUX CE QUE L'ESPRIT NE PEUT Y TROUVER...

...MAIS ELLE NE T'AIME PAS, LUI RÉPÉTAIS-JE, OÙ EST L'AMOUR DANS CETTE QUÊTE AVIDE D'UNE AUTRE CHAIR, DANS CETTE DÉFAITE DE L'ÂME ?...

JE VOUS ENTENDS CHUCHOTER ! MONTREZ-VOUS, VICAIRE !

C'EST D'IRIS DONT VOUS PARLEZ ?
IRIS ? C'EST UN PRÉNOM DE PUTAIN. JE NE CONNAIS PAS D'IRIS !

AH NON ? ALORS PEUT-ÊTRE IDENTIFIEREZ-VOUS MIEUX CECI ?

QUE VEUX-TU ?

CONNAÎTRE L'ORIGINE DE CETTE ÉPINGLE À CHEVEUX ! VOUS ÊTES ANTIQUAIRE, NON ?
TU VEUX LA VENDRE ?

RÉPONDS-MOI, PETIT HYPOCRITE ! QUE VEUX-TU ? MA FEMME S'APPELAIT HÉLÈNE !...

...TU M'ENTENDS ? HÉLÈNE SAINTANGE ! JE NE CONNAIS PLUS D'IRIS !!
MAIS LÂCHEZ-MOI !!

... LÂCHEZ-MOI !...

JE... JE NE VOUS VEUX AUCUN MAL ! CROYEZ-MOI...

VOUS AVEZ BIEN CONNU MON PÈRE. ALORS, DE GRÂCE, PARLEZ-MOI DE LUI ET DE SON FICHU LIVRE! JE VEUX SEULEMENT COMPRENDRE....

COMPRENDRE QUOI? PAR QUEL HASARD LA LAIDEUR D'HORACE SAINTANGE ET LA NOBLESSE D'HUGO SAMBRE PORTAIENT LES MÊMES INITIALES? COMBIEN J'AI VOULU LUI RESSEMBLER?...

...COMMENT J'AI PU TOUT LUI DONNER? COMMENT IL M'A TOUT PRIS? CELA, BIEN SÛR, HUGO NE L'A JAMAIS ÉCRIT!!...

... ET POURTANT, LA GUERRE DES YEUX, C'ÉTAIT MA BATAILLE! C'ÉTAIT MA VIE!!...

QUE VOULEZ-VOUS DIRE? QUE VOUS ÊTES L'INSPIRATEUR DE SON ŒUVRE?

...MAIS LA GUERRE DES YEUX, JE LA LUI AI DICTÉE! VOILÀ POURQUOI HUGO N'A JAMAIS PU LA TERMINER APRÈS M'AVOIR REJETÉ!

ET C'EST POUR ÇA QU'IL SE SERAIT SUICIDÉ? POUR UN LIVRE INACHEVÉ?...

LA GUERRE DES YEUX N'EST PAS UN LIVRE, C'EST UNE RÉALITÉ: C'EST ELLE QUI L'A TUÉ!

VOUS AVEZ ENTENDU? ON AURAIT DIT DES CRIS... QUI VENAIENT DU COULOIR...

TOUT A COMMENCÉ AVEC LA DÉCOUVERTE DE CE CHARNIER PRÉHISTORIQUE, AU FOND D'UNE MINE DE CHARBON D' HUGO SAMBRE...

...À CETTE ÉPOQUE, J'ÉTAIS CONTREMAÎTRE DU TROISIÈME NIVEAU. UN VICAIRE, COMME DISAIENT LES PROLÉTAIRES, UN AMI, PRÉTENDAIT TON PÈRE... AH! J'AI MIS DU TEMPS À COMPRENDRE LA VÉRITÉ!...

...IL Y AVAIT CE LIVRE, CET ESSAI ANTHROPOTHÉOLOGIQUE QU'IL VOULAIT ÉCRIRE... ET PUIS, CES MILLIERS DE CRÂNES EXHUMÉS... EXORBITÉS...

..."La première guerre des races fut sans doute la plus absurde. Elle fut aussi la plus longue, puisqu'elle dure encore: nous sommes tous ses héritiers en quête d'un impossible armistice! Car les yeux qui ont vu le grand carnage originel se souviennent...» OUI. LES YEUX SE SOUVIENNENT...

...ET CEUX D'IRIS N'AVAIENT POUR MÉMOIRE QUE LA HAINE...

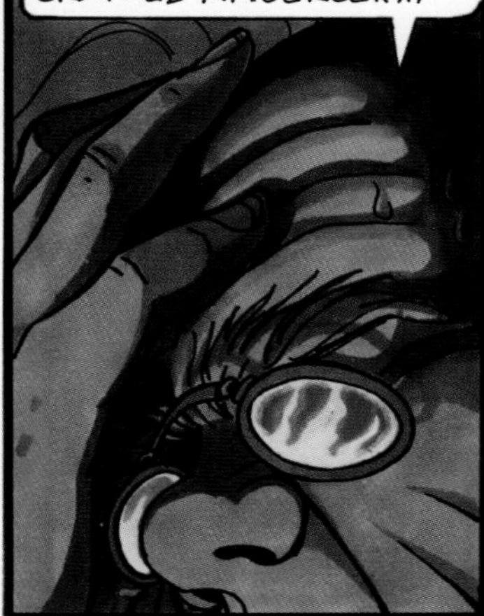

VAS-TU TE TAIRE !?!

ENFIN! VOUS DEVEZ CONFONDRE!

... FOU DE DOULEUR, LE VIEUX CRAPAUD L'AVAIT EMPORTÉE. CETTE TÊTE QUI NE SE MOQUAIT PLUS, IL LA FIT EMBAUMER...

... ET À L'HEURE QU'IL EST, ENTRE SES MURS, LA VEUVE LE REGARDE ENCORE... AU MOINS ELLE NE RIT PLUS...

... ET L'ENFANT D'IRIS S'APPELLE JULIE. ET VOUS L'AVEZ ADOPTÉE...

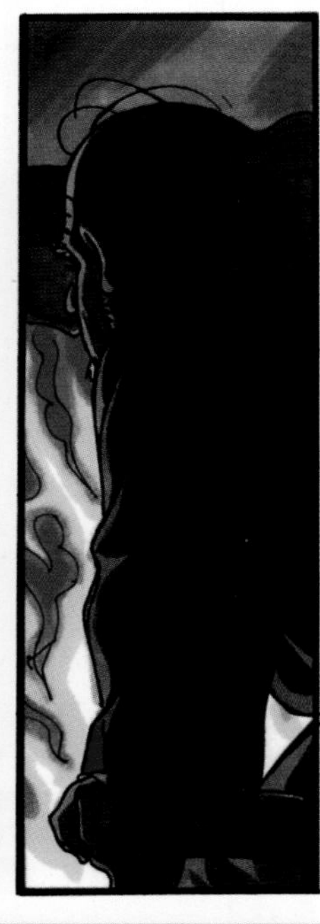

TU ENTENDS ?

... ÉCOUTE CETTE PLAINTE !...

... ELLE PRIE... ELLE ME SUPPLIE, CETTE FOIS...

...Agnus Dei... Qui tollis peccata mundi... miserere nobis...

... car il n'est de rédemption que dans la prière ...

VOUS !... C'ÉTAIT VOUS...
QUE DIS-TU?

... VOUS QUI L'AIMIEZ COMME UN FOU... JUSQU'À LA VIOLER !...
QUE DIS-TU? QUE DIS-TU?

... FOU D'IRIS AU POINT D'ACCUSER MON PÈRE DE VOTRE PROPRE FORFAIT !!
MAUDIT SAMBRE ! COMMENT OSES-TU? JE N'AI JAMAIS CONNU D'IRIS !!

VOUS MENTEZ COMME VOUS TRANSPIREZ !!

... HÉLÈNE ÉTAIT MA SOEUR ! HÉLÈNE ÉTAIT MON ÂME ! COMMENT AURAIS-JE PU LA TOUCHER ?!?

ET SA TÊTE? QU'AVEZ-VOUS FAIT DE SA TÊTE EMBAUMÉE ??
JE TE L'AI DIT : LA VEUVE EST DANS SES MURS !!

... TUE-MOI, SI JE MENS !...
N'APPROCHEZ PAS ! OU JE...

... TUE-MOI ...

QU'AVEZ-VOUS FAIT ALORS ?
IL MENTAIT !

...OUI ! IL MENTAIT ! HÉLÈNE ÉTAIT SA FEMME ! PAS SA SOEUR !!

VOYONS, CALMEZ-VOUS, COUSIN ! SA FEMME OU SON ÂME-SOEUR, QU'IMPORTE ! IL ÉTAIT FOU... D'AILLEURS, C'ÉTAIT DE LA LÉGITIME DÉFENSE ! IL VOUS MENAÇAIT !

...IL MENTAIT ! IL INVENTAIT SON HISTOIRE À MESURE QU'IL LA RACONTAIT ! LA PREUVE EST QUE LA GUERRE DES YEUX N'A JAMAIS EXISTÉ... À PART DANS SON IMAGINATION !

...ET PUIS IL Y AVAIT CETTE PLAINTE QUI N'EN FINISSAIT PAS...

...PÈRE !?...

PITIÉ, MONSIEUR ! LAISSEZ-MOI SORTIR !! J'AI PEUR...

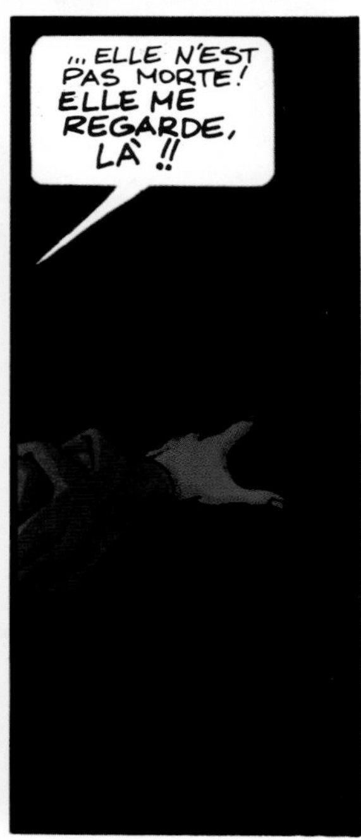
...ELLE N'EST PAS MORTE ! ELLE ME REGARDE, LÀ !!

DANS LA CHAMBRE DE LA VEUVE, IL N'Y AVAIT RIEN. NI PERSONNE. RIEN QU'UNE PETITE FILLE QUI APPELAIT SON PÈRE, PARCE QU'ELLE AVAIT PEUR DU NOIR...

ALLONS, REMETTEZ-VOUS, COUSIN. PERSONNE NE SE PLAINDRA DE LA DISPARITION DE CETTE VIEILLE CANAILLE PROXÉNÈTE...

TENEZ. LISEZ DONC VOTRE DÉPOSITION, ET AVOUEZ QUE J'AI EU RAISON DE VOUS FAIRE SUIVRE !

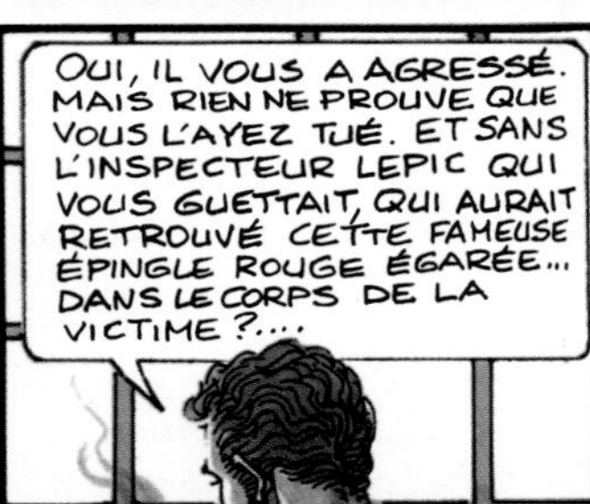
OUI, IL VOUS A AGRESSÉ. MAIS RIEN NE PROUVE QUE VOUS L'AYEZ TUÉ. ET SANS L'INSPECTEUR LEPIC QUI VOUS GUETTAIT, QUI AURAIT RETROUVÉ CETTE FAMEUSE ÉPINGLE ROUGE ÉGARÉE... DANS LE CORPS DE LA VICTIME ?...

COMME MOI, VOUS RECONNAISSEZ LÀ DE MANIÈRE FORMELLE LA SIGNATURE DE SA PROPRIÉTAIRE ET LA PREUVE DE SON TROISIÈME CRIME ...

SIGNEZ AU BAS ET VOUS ÊTES LIBRE.

VOUS VOUDRIEZ QUE J'ACCUSE JULIE DU MEURTRE DE...

...DE VOTRE MÈRE, DU PEINTRE VALDIEU ET DU VICAIRE, HORACE SAINTANGE. C'EST LA VÉRITÉ D'UN SAMBRE, ET ELLE N'EST QU'EN PARTIE FAUSSE !...

JAMAIS JE NE SIGNERAI !!

HEM. SAVEZ-VOUS QU'EN AMOUR, COMME EN POLITIQUE, ON NE DIT NI JAMAIS, NI TOUJOURS ?

JE CRAINS QUE VOUS N'AYEZ PAS LE CHOIX ! DOIS-JE VOUS RAPPELER VOTRE DÉCLARATION D'AVEUX SPONTANÉS DE CE MATIN... DONT MALHEUREUSEMENT L'ADMINISTRATION A CONSERVÉ UN EXEMPLAIRE ?...

... AVEC DE TELS ANTÉCÉDENTS, IL VOUS SERA DIFFICILE D'INVOQUER LA LÉGITIME DÉFENSE ! C'EST VOTRE TÊTE QUI EST EN JEU !!
JE REFUSE !!

PASSEZ-MOI LES MENOTTES ! JE PRÉFÈRE MOURIR QUE DE SIGNER PAREILLE INFAMIE !!

... MÊME SI JE FAISAIS LIBÉRER VOTRE JULIE ?...

POURQUOI LE FERIEZ-VOUS ?
A PRIORI, C'EST CONTRAIRE À MES FONCTIONS, C'EST MÊME CONTRAIRE À LA JUSTICE, PUISQU'ELLE EST COUPABLE... MAIS...

PARCE QUE JE DÉFENDS L'ORDRE, AVANT LA JUSTICE ! QU'IMPORTE UNE CRIMINELLE PROVISOIREMENT EN LIBERTÉ, JE LA RETROUVERAI ! MAIS LA FAMILLE ! LA FAMILLE NE PEUT SUBIR LA MOINDRE TACHE, LE MOINDRE DÉSORDRE !!

À VOUS DE CHOISIR... LA LIBERTÉ POUR JULIE OU LA JUSTICE ?

33

BIEN, BIEN! COUSIN, JE NE VOUS RETIENS PAS!...
ET JULIE? VOUS OUBLIEZ UN PEU VITE VOTRE PAROLE!

MAIS PAS DU TOUT! VOUS POUVEZ L'ATTENDRE ICI SI CELA VOUS CHANTE!... ...LEPIC!

INSPECTEUR?...
ALLEZ DONC CHERCHER CETTE BRACONNIÈRE... VOUS L'AVEZ TRANSFÉRÉE AUX MADELONNETTES, NON?

VOYONS, INSPECTEUR, VOUS SAVEZ BIEN... LE FOURGON CELLULAIRE N'EST JAMAIS ARRIVÉ À BON PORT, VRAISEMBLABLEMENT ARRÊTÉ PAR DES RÉVOLUTIONNAIRES. ELLE S'EST SAUVÉE...
DIABLE! VOILÀ QUI EST ENNUYEUX!

MAIS EN UN SENS NOUS VOILÀ QUITTES, COUSIN BERNARD! JULIE EST LIBRE...

ESPÈCE DE SALAUD! VOUS LE SAVIEZ!! VOUS M'AVEZ DUPÉ!!

AURIEZ-VOUS L'OBLIGEANCE DE VOUS RETIRER, S'IL VOUS PLAÎT? VOUS POSTILLONNEZ SUR L'UNIFORME D'UN DÉFENSEUR DE L'ORDRE!

LIBERTÉ

IL A SIGNÉ!
IL A SIGNÉ!!
LA REFORME

SA MAJESTÉ LOUIS-PHILIPPE A SIGNÉ LA DÉMISSION DU PREMIER MINISTRE ET CHARGÉ LE COMTE MOLÉ DE FORMER UN NOUVEAU GOUVERNEMENT!...
MOLÉ! UN SEXAGÉNAIRE MODÉRÉ DONT LA SEULE QUALITÉ EST DE N'EFFRAYER PERSONNE!... C'EST FINI! IL N'Y AURA PAS DE RÉVOLUTION!...

... QUELQUES PETITES RÉFORMES, SANS PLUS, QUI APAISERONT LA MAJORITÉ ET NE CHANGERONT RIEN!

C'EST UNE VICTOIRE, RODOLPHE!
MAIGRE VICTOIRE!...

... LES CHOSES RENTRENT DANS L'ORDRE ... ET CHACUN CHEZ SOI...

NE SOIS PAS RIDICULE, BERNARD, MONTE! JE VAIS TE RECONDUIRE...

CE SOIR TU DORMIRAS ENCORE RUE DES INNOCENTS. MAIS DÈS DEMAIN NOUS REPRENDRONS LA ROUTE POUR RENTRER CHEZ NOUS...

... À DEUX!
35

ET TOI ... OÙ IRAS-TU ?
MA FOI ... EN SUIVANT LA FOULE DES BOULEVARDS, ON DOIT BIEN ARRIVER QUELQUE PART...

SI TU VEUX UNE ADRESSE... J'AI BEAUCOUP D'AMIS QUI POURRAIENT TE CACHER !..
TU FAIS PARTIE D'UNE SOCIÉTÉ SECRÈTE ?

RESTE AVEC NOUS !...NOTRE COMBAT EST JUSTE ET DIGNE...

... RESTE AVEC MOI...

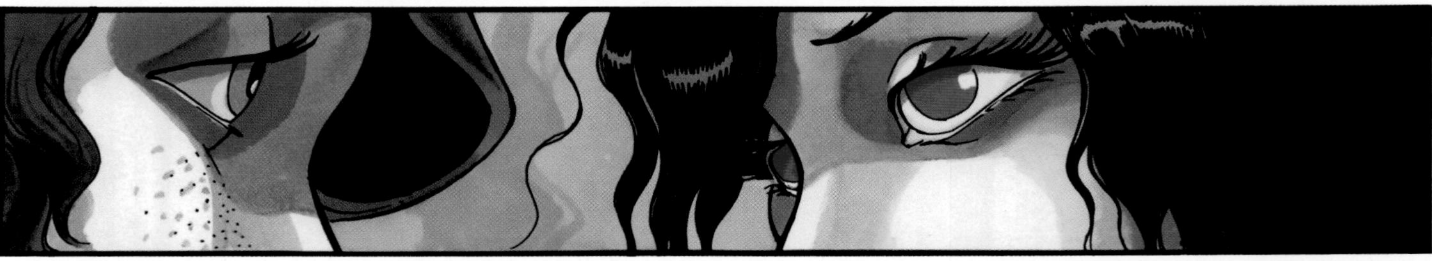

MOI AUSSI J'AURAIS AIMÉ CHANGER LE MONDE, RODOLPHE...

DRÔLE D'IDÉE DE SE PERDRE DANS LA FOULE !... TÔT OU TARD LES GENDARMES LA REPÊCHERONT !...
PAS SÛR...

... C'EST TOUJOURS LA FOULE QUI DÉCIDE DES RÉVOLUTIONS !
IL FAUT LA SUIVRE, LEROUGE !!

ALEXANDRE
LA DAME AUX CAMÉLIAS
LA REFORME

TOUT EST FINI, BERNARD...

... L'IMMEUBLE DES INNOCENTS EST VENDU, J'AI SIGNÉ CE MATIN CHEZ LE NOTAIRE. ET TOI, TU ES ENFIN REVENU SUR TES AVEUX !...
PARCE QUE TU AS PARTICIPÉ À CE CHANTAGE ODIEUX ?

BERNARD ! BERNARD ! JAMAIS JE N'AURAIS PU TE LAISSER TE DÉNONCER D'UN CRIME QUE TU N'AS PAS COMMIS. JE SUIS TA SOEUR !
ET SI JE VOUS AVAIS À TOUS MENTI ? ET SI J'AVAIS VRAIMENT TUÉ CE PEINTRE ET CE VICAIRE ?...

... ET SI SURTOUT J'AVAIS TUÉ NOTRE MÈRE ? QU'AURAIS-TU FAIT, SARAH ?

C'EST TOI QUI L'AS TUÉE ?

RÉPONDS-MOI, PETIT FRÈRE! QUI A TUÉ NOTRE MÈRE?
PUISQUE JE TE DIS QUE C'EST MOI!!

JE TE PARDONNE, BERNARD!..

... CETTE FEMME ÉTAIT MAUVAISE! ELLE A MENÉ PÈRE AU SUICIDE EN DÉTRUISANT SON OEUVRE!...

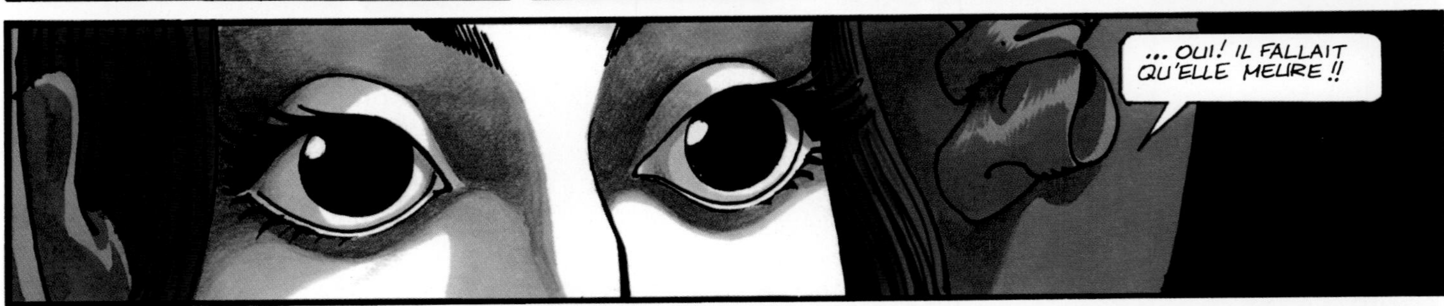
... OUI! IL FALLAIT QU'ELLE MEURE!!

COMMENT PEUX-TU DIRE CELA?! COMMENT??!...

...IL LE FALLAIT!!...

JE VAIS RENTRER À PIED, SARAH! LÀ OÙ TU VAS, COMMENT POURRAIS-JE ENCORE TE SUIVRE?
38

MAIS NOUS RENTRONS À LA MAISON, BERNARD!
ADIEU, GRANDE SŒUR!

... BERNARD?!...

BERNARD! JE T'ORDONNE DE RESTER ICI! IL PLEUT À VERSE!!...

...OU COURS-TU ENCORE? NOUS RENTRONS À LA MAISON!!...

...TU M'ENTENDS, PETIT FRÈRE? JE COMPTE JUSQU'À CINQ! ET SI À CINQ TU N'ES PAS REVENU, JE RENTRE SEULE!!...

ON ENTEND LA FOULE JUSQU'ICI !..

... ILS SONT TOUS SI EXCITÉS, SUR LE BOULEVARD, QUE C'EST À CROIRE QU'IL VA Y AVOIR VRAIMENT LA RÉVOLUTION !
QUELLE RÉVOLUTION? JE T'AI DEMANDÉ TROIS FOIS DE DÉCROCHER LE GRAND TABLEAU DE FAMILLE DANS LA BIBLIOTHÈQUE ET TU NE L'AS PAS FAIT. TU VOIS? RIEN NE CHANGE JAMAIS VRAIMENT...

VOYONS, MONSIEUR BERNARD...
... INUTILE DE T'EXCUSER ! SERS-MOI PLUTOT À BOIRE... DU GROS ROUGE !

VOUS DEVRIEZ DORMIR, MONSIEUR !..
DORMIR... OUI... D'UN SOMMEIL PROFOND ET ÉTERNEL...

... NE PLUS PENSER, NE PLUS TRAHIR, NE PLUS AIMER... N'EST-CE PAS LA SUPRÊME SOLUTION ? N'EST-CE PAS LE CHOIX QU'A FAIT "MONSIEUR HUGO" ?

MONSIEUR A CRIÉ !?...

THÉODORE! TU ENTENDS?

ON AURAIT DIT UN RIRE... ÉNORME... DE CES RIRES QUI VOUS ÉCORCHENT LA GORGE ET SE CONFONDENT AUX HURLEMENTS D'UN DÉMENT!...
IL FAUT DORMIR, MONSIEUR! CE N'ÉTAIT QU'UN CAUCHEMAR....

...C'ÉTAIT MON PÈRE...

OUI! J'EN SUIS SÛR! SA VOIX RÉSONNE ENCORE EN MOI COMME UN ÉCHO...

MONSIEUR BERNARD! QUE FAITES-VOUS?

..ET IL RIAIT...

... IL RIAIT...

...MAIS TAISEZ-VOUS !! ....

..TAISEZ-VOUS !!....

...OU ALORS DITES-MOI POURQUOI NOUS SOMMES MAUDITS...

MON DIEU, MONSIEUR ! LE... LE TABLEAU !... QU'AVEZ-VOUS FAIT ? QU'AVEZ-VOUS FAIT ??...
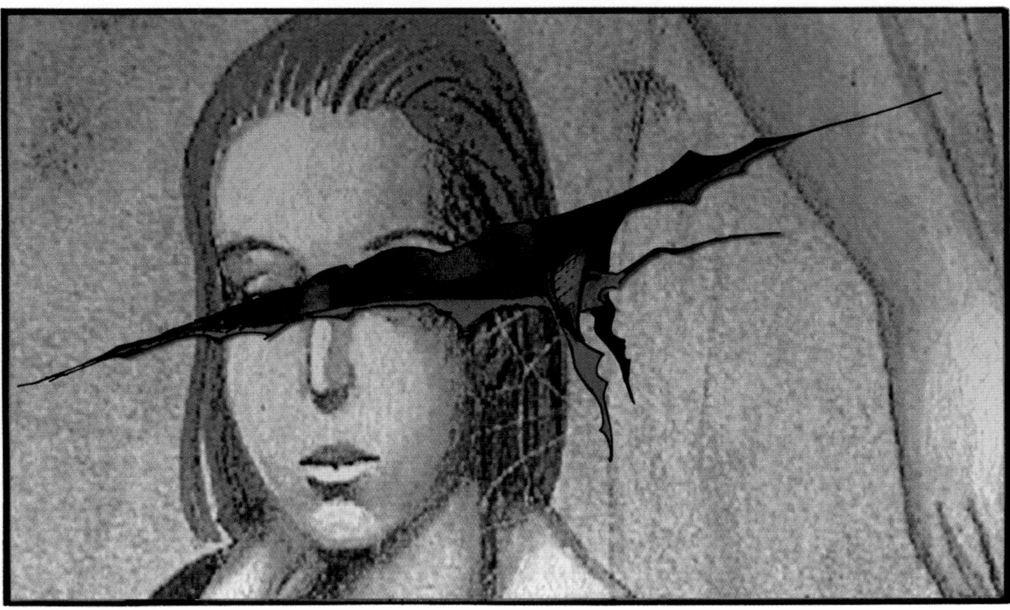

NON, MONSIEUR! NON !! NE...
... la veuve est dans ses murs!!

À LA SANTÉ DES INNOCENTS !!

MA CHÈRE LIBERTÉ, IL FAUT VOUS LE DIRE : ACHETER CET IMMEUBLE DES INNOCENTS DANS LA CONJONCTURE POLITIQUE ACTUELLE DEMANDE UNE CONFIANCE DANS L'AVENIR, QUE VISIBLEMENT PEU DE VOS INVITÉS PARTAGENT...

...CONFIANCE DANS L'AVENIR, DITES-VOUS...

...OUI, EN EFFET ! QUE CRAIGNENT-ILS ENCORE POUR CE SOIR, JE ME LE DEMANDE...

MES EXCUSES POUR LE RETARD, DUCHESSE, MAIS...
DUC ! JE NE VOUS ATTENDAIS PLUS... QUELLES NOUVELLES, CHER ?

MAUVAISES... TOUTES LES RUES DE LA CAPITALE SONT BOUCHÉES ! C'EST LA PANIQUE À CAUSE D'UNE BAVURE...

... L'ARMÉE A TIRÉ DANS LA FOULE, BOULEVARD DES CAPUCINES ...

MONSIEUR BERNARD! VOUS ALLEZ BIEN? JE NE VOUS RECONNAIS PLUS...
«... la veuve est dans ses murs... Au moins, elle ne rit plus...»

JE VOUS EN CONJURE, MONSIEUR! VOUS DEVEZ DORMIR!...

THÉODORE... CE N'ÉTAIT PAS UN RIRE... MAIS UNE LONGUE PLAINTE...

... TU L'ENTENDS, MAINTENANT?...

SURTOUT NE BOUGEZ PAS! JE COURS CHERCHER UN DOCTEUR!!...

... CELA VENAIT DE LA RUE...

... JE DOIS LA FAIRE TAIRE....

N°4

SAINT-ANGE NICOLAS
BEURRE ET FROMAGES
LA PROVIDENCE

VENGEANCE ! ON ASSASSINE LE PEUPLE !!

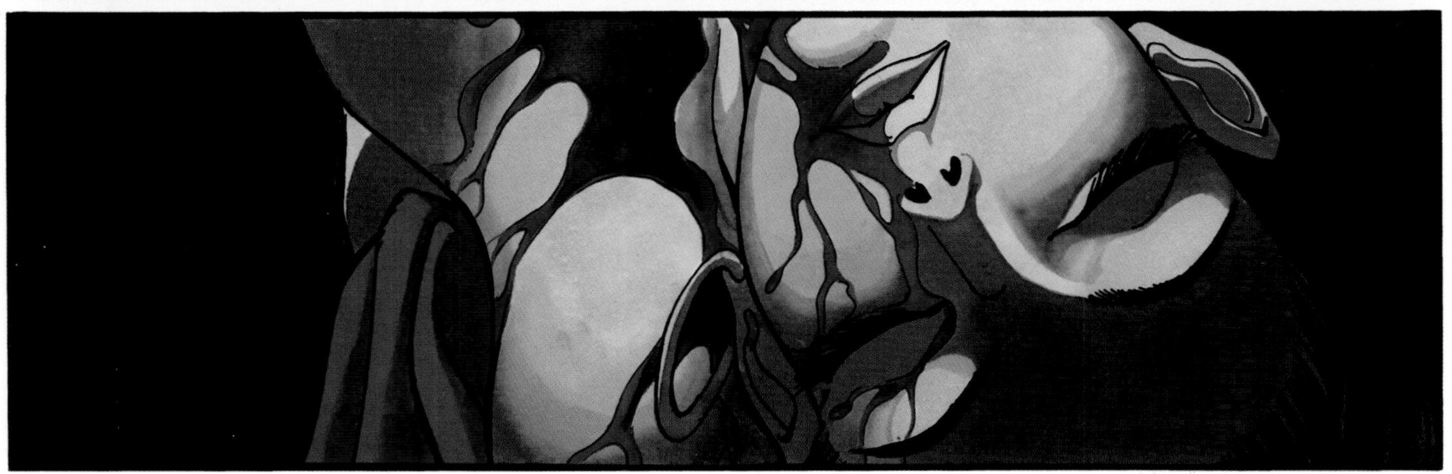

...C'EST GAGNÉ, RODOLPHE ! ON NE COMPTE PAS LES BARRICADES ÉRIGÉES DANS TOUT PARIS !...

...TOUTES ANIMÉES D'UN MÊME DÉSIR, D'UNE MÊME SOUFFRANCE, LA RÉPUBLIQUE..., VALDIEU N'AVAIT PAS TORT : QUELQUES MARTYRS AURONT SUFFI POUR CRÉER CETTE NOBLE CAUSE...

...SEIZE MORTS... PEUT-ÊTRE DIX-SEPT...

NE LA TOUCHEZ PAS !!...

QUI EST-CE?
IL A SUIVI LE CHARIOT TOUT LE PARCOURS... PAUVRE GARÇON...
...NE LA TOUCHEZ PAS!...

RÉVEILLE-TOI, JE T'EN PRIE! TU N'AS PAS LE DROIT DE MOURIR!!...

... PAS SANS MOI, PETITE SOEUR...

... BER... NARD...

LEROUGE! ELLE SE RÉVEILLE!!
..UN SURSAUT D'AGONIE, VOILÀ TOUT...

NON! IL LUI FAUT UN DOCTEUR! QU'ON AILLE CHERCHER UN DOCTEUR!!
QU'EST-CE QUI TE PREND, RODOLPHE?

...TOI QUI L'AS PROMENÉE NUE, DEUX HEURES DURANT?! TOI QUI SENTAIS QUE SON CORPS ÉTAIT ENCORE CHAUD?! TOI QUI N'AS RIEN TENTÉ ALORS POUR LA SAUVER??!...
MAIS QU'EST-CE QUE TU RACONTES? C'EST ELLE QUI S'EST PRÉCIPITÉE VERS LA MITRAILLE! TU L'AS VUE, NON?
50

... D'AILLEURS, ON NE SAUVE PAS UNE SUICIDAIRE, ON LA CONDAMNE À SE RÉPÉTER !
C'EST BIEN CE QUE JE DISAIS... À QUOI BON PROLONGER SON AGONIE ? TOUT PARIS L'A VUE MORTE ! ET TOI, TU L'AS TA RÉVOLUTION !!

TAIS-TOI ! TAIS-TOI !

RAPPELLE-TOI, JULIE, C'ÉTAIT NOTRE SERMENT... SI LE MOMENT EST VENU, JE T'EN CONJURE, DEMANDE-LE MOI !...

... DEMANDE-MOI DE MOURIR AVEC TOI !
HÉLAS, BERNARD... TU VAS... ENCORE ME TRAHIR !...

COMMENT OSES-TU ?! JAMAIS JE N'AI...
... JAMAIS ?!?...

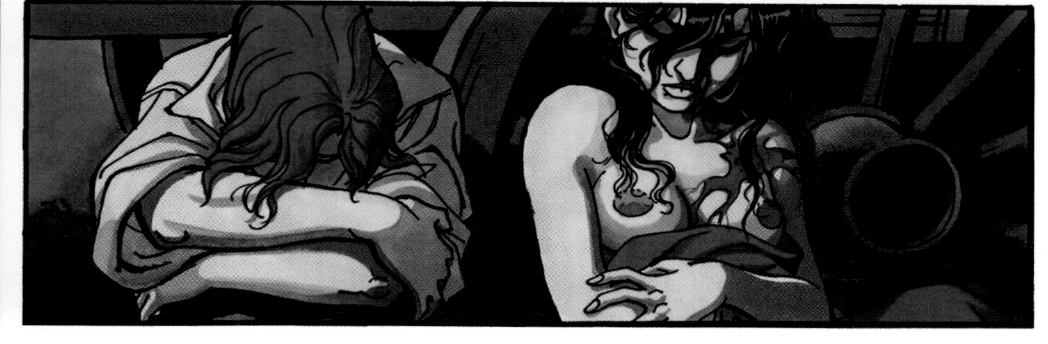

..TE TRAHIR... COMMENT PEUX-TU DIRE CELA? NOUS AVONS MÊLÉ NOS DEUX SANGS, ET PLUS ENCORE!... TU ES MA DEMI-SOEUR, JULIE, ET POUR TOI J'AI BAFOUÉ LE NOM DE MON PÈRE! ...DE NOTRE PÈRE...

MON PAUVRE BERNARD... QU'AS-TU IMAGINÉ?...

...BIEN SÛR, QU'IRIS A AIMÉ HUGO SAMBRE... MAIS QUELLE PROSTITUÉE... AURAIT OSÉ AFFIRMER À SON CLIENT..QU'IL ÉTAIT LE PÈRE DE SON ENFANT?...

...JE SUIS UNE FILLE DE PUTAIN, BERNARD... UNE MOITIÉ DE RIEN...

... J'AI MAL, BERNARD... SERRE-MOI...

OH HUGO, MON PÈRE! COMME JE TE HAIS! TU NOUS L'AURAS LÉGUÉE, TA MAUDITE GUERRE!!

...ET NOUS ? QUE NOUS RESTE-T-IL ?... À PART UN SERMENT...
TAIS-TOI, BERNARD...

... JE T'EN PRIE... NE ME MENS PLUS !...

RAPPELLE-TOI... UNE MAIN NE PEUT MENTIR, DISAIS-TU... S'IL FAUT QUE NOUS MOURIONS ENSEMBLE, ELLE TIRERA !...

... BERNARD !... JAMAIS... JE N'AI... VOULU CELA... JE...

... TIRE, JULIE !...

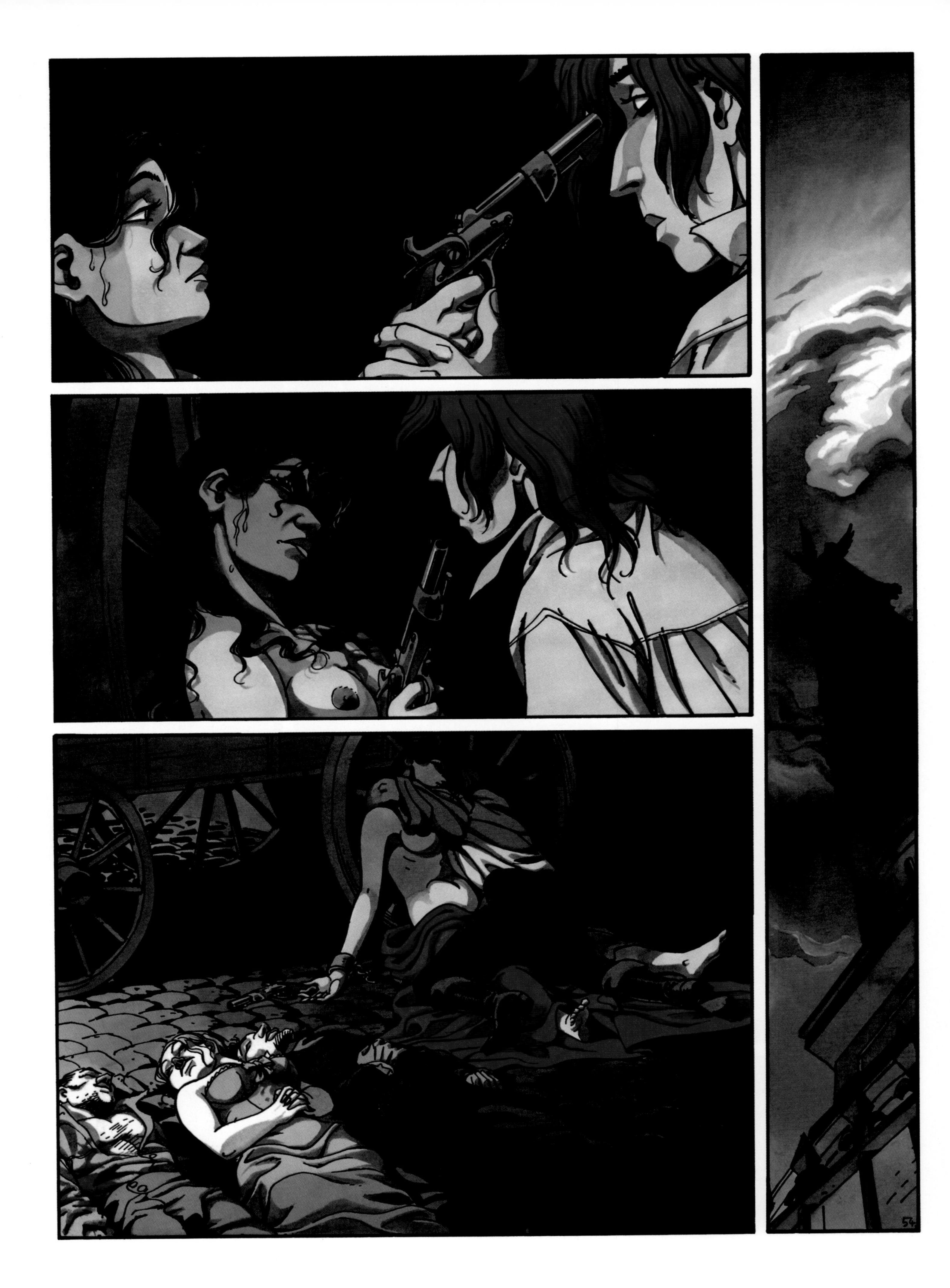

COURAGE, CAMARADE.. TU N'ES PAS SEUL À LA REGRETTER...

...À L'ANGLE DE LA RUE DE LA MORTELLERIE ET DES INNOCENTS, IL Y A UNE BARRICADE ET DIX DE SES AMIS QUI T'ATTENDENT. AVEC UN DRAPEAU POUR NOUS SOUVENIR DE LA COULEUR DE SES YEUX, ET UN FUSIL POUR LA VENGER !...

IL Y A DES JOURS OU TU ME DÉGOÛTES, RODOLPHE... DIEU SAIT SI GRÂCE À CES CADAVRES LA RÉPUBLIQUE EST DANS L'AIR, MAIS DIEU QU'ELLE PUE DÉJÀ !...

RESPIRE, LE ROUGE ! RESPIRE ! ET REGARDE LE FAUBOURG QUI S'ARME ET LES HABITS QUI PRENNENT LE FUSIL ! DEMAIN ILS SERONT MILLE OU DIX MILLE SOUS NOTRE BANNIÈRE ! DEMAIN TU ME DIRAS : NON, SON SACRIFICE NE FUT PAS INUTILE !!

C'EST BÊTE... J'AI LA MAIN QUI TREMBLE... JE... J'AI TOUJOURS ÉTÉ PIÈTRE TIREUR !...

... JUSTE UNE FAVEUR, RODOLPHE... SI JE TOMBE AU COMBAT, JURE-MOI QUE CÉ DRAPEAU SERA NOTRE LINCEUL... À JULIE COMME À MOI !

CONFIANCE, CAMARADE ! TU TE BATS POUR LA LIBERTÉ. ET LA LIBERTÉ NE PEUT PAS MOURIR ! ... PAS AUJOURD'HUI EN TOUT CAS...

56

... BERNARD?

NON, RODOLPHE. MAIS TU ES DANS SA MAISON. OU PLUTÔT SON ANCIENNE, PUISQU'UNE AMIE À MOI L'A ACHETÉE HIER, ET ME L'A PRÊTÉE..

...TU AS BEAUCOUP DORMI. TON CORPS A LUTTÉ TOUTE LA NUIT ET LA JOURNÉE, ET IL A PRIS LE DESSUS, MALGRÉ DEUX BALLES DANS LA RÉGION DU COEUR... ET TON ENFANT BOUGE ENCORE... UN DOUBLE MIRACLE, A DIT LE MÉDECIN!...

...DANS LE FOND, TU N'AS JAMAIS RISQUÉ GRAND-CHOSE... TU TE RAPPELLES CE PROVERBE ARABE? *"Ce n'est pas la balle qui tue, mais la destinée »...*

...D'AILLEURS, ÉCOUTE CES CLAMEURS! LE PEUPLE SALUE L'ABDICATION DE LOUIS-PHILIPPE ET RÉCLAME L'ÉTABLISSEMENT DE LA RÉPUBLIQUE! UN MIRACLE, JE TE DIS...

...ET BERNARD?...
NE BOUGE PAS! TU ES ENCORE FRAGILE!...

...SI TU PARLES DE TON BOURGEOIS, SACHE QU'IL NOUS A REJOINTS SUR UNE BARRICADE ET QU'IL S'EST BATTU FIÈREMENT POUR NOTRE CAUSE!
RÉPONDS-MOI! EST-IL ...?

TOI AUSSI TU VOULAIS CHANGER LE MONDE, NON?

ALORS BERNARD EST MORT?...

... COMME BEAUCOUP D'AUTRES... POUR LA LIBERTÉ!

ASSEZ! ASSEZ!! VA-T'EN!!...

... POURQUOI?...

... POURQUOI FAUT-IL QUE JE SURVIVE? ...

59

– « Mais l'amour, Hugo? Que fais-tu dé leur amour?… »

– « Ou est l'amour dans cette bataille des corps qui se dévorent jusqu'à l'extase? Dans cette conquête avide d'une autre chair? Dans cette défaite de l'âme?… Folie que l'amour!!…. »
60 bis

«... Et elles, dès l'âge où leur hymen expire, ne naît alors qu'un seul désir, celui que toi aussi, tu saignes un jour...»

«... Héritières de toutes les douleurs, elles savent toutes que tôt ou tard, elles seront veuves aux yeux rouges...»

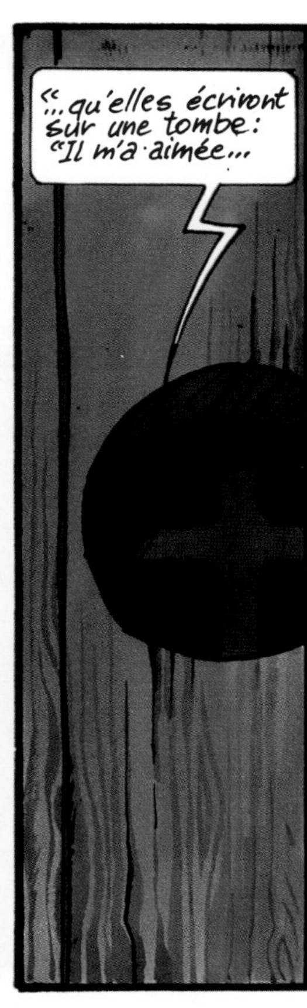
«... qu'elles écriront sur une tombe: "Il m'a aimée...

«... Car la guerre des yeux est éternelle et sans merci !...». FIN DU CHAPITRE. FERMER LES GUILLEMETS... TU AS BIEN TOUT NOTÉ ?

BON. TU TERMINERAS DE RECOPIER CE CHAPITRE TOUT À L'HEURE. TU AS ENCORE DU MÉNAGE À FAIRE.
MAIS JE L'AI FAIT CE MATIN, MADEMOISELLE SARAH !!...

TU MENS !!... CETTE NUIT, JE NE POUVAIS DORMIR, JE SUIS DESCENDUE ICI, J'AI BUTÉ SUR UNE CHAISE, ET JE SUIS TOMBÉE SUR LA PIERRE DE LA CHEMINÉE...

... ELLE ÉTAIT SOUILLÉE... REGARDE MES MAINS...

... ELLES SONT PLEINES DE SANG !
61

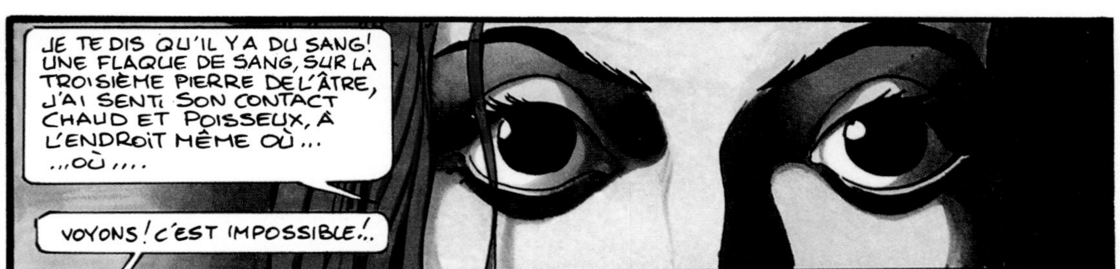

Fin de l'épisode *Prochain épisode : Maudit soit le fruit de tes entrailles...*